桂林市旅游景点图

THE SIGHT SPOTS OF GUILIN CITY

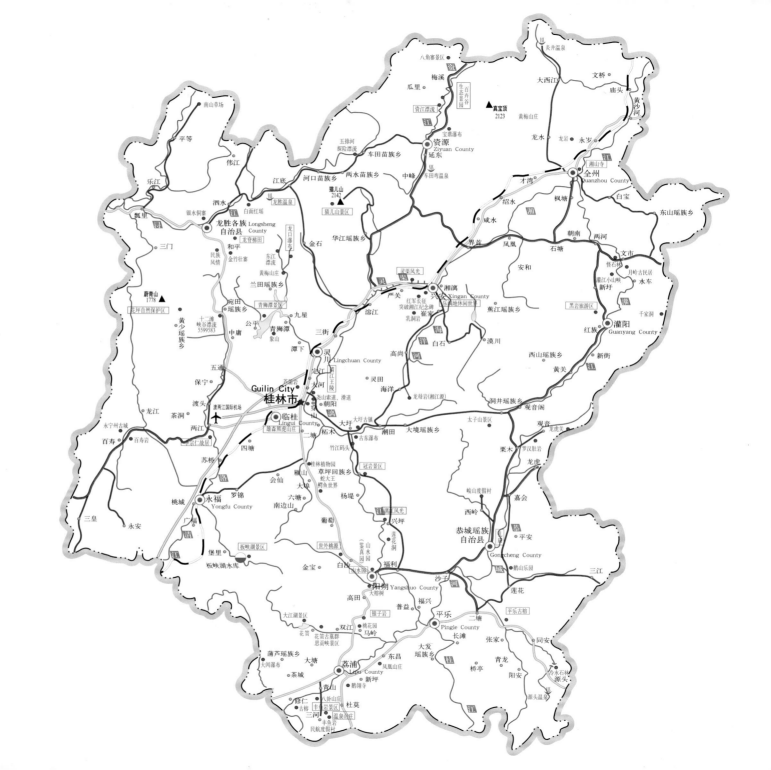

图 例

★ 地 级 市 驻 地
◎ 县、县级市驻地
· 乡 镇 驻 地
▬▬ 铁 路
▬▬ 高 速 公 路
═══ 国 道
═══ 省 道
─── 县 乡 道
· 旅游景点、名胜古迹

梦幻桂林

中国摄影家张力平摄影作品精选

Selections from Photos by Chinese Photographer Zhang Liping

广西人民出版社

GUANGXI PEOPLE'S PUBLISHING HOUSE

摄 影 家 简 介

张力平 辽宁营口人，1956 年生，毕业于武汉大学新闻系摄影专业，中国摄影家协会会员，著名桂林山水风光摄影家，原广西画报社摄影记者，国家二级摄影师（高级职称）。2002 年评为中国优秀摄影家。

1994 年广西民族出版社出版《中国少数民族习俗与传统文化》专著，1999 年漓江出版社出版《桂林山水张力平摄影作品》大型画册，2000 年广西人民出版社出版《梦幻桂林》个人专集画册，2001 年广西人民出版社出版《漓江烟雨》黑白个人专集画册，2001 年广西人民出版社出版《永恒的瞬间——张力平西藏云南少数民族黑白摄影作品》个人专集画册。

作品曾多次在全国摄影大奖赛获一、二、三等奖，并入选美国职业摄影家协会举办的97届国际摄影展览、第四届国际摄影艺术展览，一些作品由中国摄影家协会选送到日本、比利时、美国、奥地利、匈牙利、德国和香港等地展出。

近年来，他使用德国"林哈夫"4×5、6×17、日本"HORSEMAN"8×10大型专业相机，开始对桂林风光进行全方位拍摄，拍了近千张4×5、8×10反转片。其作品气势磅礴，凝炼而深沉，这本桂林风光摄影画册，是摄影家献给热爱大自然朋友的一份珍贵礼物。

作者联系电　话：（0773）3840401
手　　机：13707836901
E-mail: glzlp616@263.net

A Brief Introduction to the Photographer

Zhang Liping is a famous Guilin landscape photographer born in 1956 in Yingkou, Liaoning, and graduated from the Journalism Department of Wuhan University majoring in photograph. He had been a press photographer at Guangxi Pictorial Magazine. Now, he is a member of China Photographer Association and a state-ranked grade II photographer (a senior professional title).Chinese Excellent Photongrapher.

He had many of his works published by publishing houses: The Customs and Traditional Culture of Ethnic Groups in China (a monograph) by Guangxi Nationality Publishing House in 1994; Guilin Landscape Photos by Zhang Liping (a large photo album) by Lijiang Publishing House in 1999; Guilin—A Dreamland (a photo album) by Guangxi People's Publishing House in 2000; The Lijiang River in Misty Rain (a black and white photo album) by Guangxi People's Publishing House in 2001; The Eternal Moment — Black and White Photos of Ethnic Groups in Tibet and Yunnan by Guangxi People's Publishing House in 2001.

His photographic works had carried off the 1st, the 2nd and the 3rd prize respectively in the National Photo Grand Prix Competition on different occasions and had been exhibited in the International Photo Exhibition 1997 sponsored by the American Professional Photographer Association and the 4th International Photographic Art Exhibition. Some of his works had been collected by China Photographer Association and exhibited in Japan, Belgium, the United States, Austria, Hungary, Germany, and Hong Kong.

Over the past years he used the German Linhof large camera (4 × 5, 6 × 17) and the Japanese Horseman large camera (8 × 10)to take photos in all directions of Guilin landscape. The landscape photos taken by him amounting to about 1000 in number, are characterized by grandeur, conciseness and profundity. This photo album about GuiLin Landscape is a precious gift presented by the photographer to all nature-loving people.

Ways to contact the photographer:
Tel:(0773)-3840401
Mobile:13707836901

桂 林 山 水 歌

贺敬之

云中的神啊，雾中的仙，
神姿仙态桂林的山！

情一样深啊，梦一样美，
如情似梦漓江的水
……

Song of Guilin Landscape

He Jingzhi

Gods in the cloud and fairies in the mist
The hills in Guilin look like.

Deep as feelings and sweet as dreams
The Lijiang River ever runs.

猫儿山云海
Mt. Maoer amid a sea of clouds
猫兒山にかかる雲海
Das von Wolken verhuellte Meer des
Maoer-Berges
묘아산의 구름바다
la mer de nuages au mont Maoer
le nuvole di IL Monte MAO ER
El mar de los nubes en la Montaña Maor

漓江源
The source of the Lijiang River
灘江つみなもと
Die Quelle des Lijiang – Flusses
이강의 발원지
la source de la rivière Lijiang
Sorgente del Fiume Li
El fuente del Rio Lichiang

猫儿山杜鹃花
The azaleas on Mt. Mao'er
猫兒山に滿開のアザレア
Die Azaleen auf dem Maoer-Berg
묘아산의 두견화
l'azalée du mont Maoer
la azalea del Monte MAO ER
La azalea en la montaña Maor

华南第一峰猫儿山
Mt. Maoer, the highest mountain in South China
華南第一峰猫兒山
Der Maoer – Berg ist der erste hoechste Gipfel in Suedchina

화남제 1 봉-묘아산
le mont Maoer, le premier mont du Sud de la Chine
la prima cima del Sud Cina – Il Monte Mao Er
El pico primero en el sur del pais, el pico de Maor

兴安灵渠
The Lingqu Canal at Xing'an County
興安の靈渠
Lingguer Kanal in Xingan

홍안 영거
le canal Ling à Xingan
Ling Canale di Xin An
Canal Lingqiu

象鼻山
The Elephant Hill
象鼻山
Der Elefantenruessel － Berg
상비산
le mont comme la trompe
Il Monte Naso d'elefante
Colina de la Nariz del Elefante

6

独秀峰
The Solitary Beauty Peak
独秀峰
Der Gipfel der Alleinstehenden Schoenheit
독수봉
un seul mont
La Cima Du Xiu
Pico Tuxiu

試剑石
Sword of stone
刀のテスト石
Schwert-Fels
試劍石
Pierre taillée par l'épée
Pietra da provare spada
Piedra de toque para la espada

花桥
The Flower Bridge
花橋
Die Blumenbruecke
화교
le pont des fleurs
Il Ponte Fiore
Puente de Flores

骆驼山
The Camel Hill
駱駝山
Der Kamelberg
낙타산
le mont comme le cham-
eau
Il Monte Camello
Colina de Camello

云海波涛
The turbulent waves of cloud
雲海のさけぶ大波
Welle des Wolkenmeers

구름파도
la mer de nuages
il maroso delle nuvole
El oleaje en el mar de nube

9

桂海碑林
The forest of steles in Guilin
桂海碑林
Die Gedenksteingalerie in Guilin
계해비림
Forêt de stèles à Guihai
le stele di Gui Hai
Estelas de Guilin

木龙古渡
The ancient ferry at Mulong
木龍の古い渡り
Die alte Ueberfahrtsstelle bei Mulong
목룡엣나루터
le pont de bois de style archaique
il legno Drago Barca
Embarcadero Antiguo de Mulong

空山响流泉　　　　　　　　　　빈산에 들려오는 시냇물 소리
The song of a spring rings in the quiet hills.　l'eau de la fontaine jaillit dans les montagnes
谷間の流れ　　　　　　　　　　la voce di sorgente nel monte
Die fliessenden Quelle ertoenen durch den Berg　Suena el fuente en colinas

奇峰晨雾
Morning fog amid grotesque peaks
朝霧の中に奇峰
Bizarr geformte Gipfel im Morgennebel

기봉의 아침안개
brume du matin dans les montagnes
la nebbia di mattina dell cime peculiari
La niebla de la mañana en picos fantasticos

山乡之春
A mountain village in spring
山里の春
Bergdorf im Fruehling
산간의 봄
le printemps rural
La Primavera della campania
de las colinas en Guilin

奇峰晨曲
Fantastic hills ring with morning songs
奇峰夜明けの曲
Bizarr geformte Gipfel in der Morgenfruehe
기봉신곡
De bon matin du mont extraordinaire
il primo mattino delle cime peculiare
Musica de la madrugada en los picos fantastico

绿色的诗、绿色的梦　　푸른 시 푸른 꿈
Green poets, green dreams　le poème vert, le rêve vert
绿色の詩、緑色の夢　　la poesia verde ,il sogno verde
Gr ü ne Dicht, Gr ü ne Traum　Verdes poesia y sueño

冠岩　　　　　관암
The Crown Cave　　Roc Guan (à Guilin)
冠岩　　　　　La Roccia Cappello
Die Krone--Hoehle　　Caverna Kuanyen

静静的漓江
The Lijiang River flows
in peace.
静かなる漓江
Der Lijiang － Fluss in
der Stille
고요한 이강
la rivière Lijiang calme
et tranquille
il silenzio del Fiume Li
El silencioso Rio
Lichiang

影落清漪
Shadows cast on the clear
ripples
さざなみの上に影うつす
Der klare Kraeuselung,in der
sich die Berge spiegeln
그림자 드리워 잔 파도
이네
reflets dans les rides à la sur-
face de l'eau
l'ombra sul increspamento
Sombras en agua clara

几程漓水曲、万点桂山尖
The Lijiang River winds along thousands of peaks
漓江まがりくねり，桂山の峰尖の萬點
Tausende Berge verstreuen beide Seiten des Lijiang — Flusses
이강수 굽이굽이 계산봉 옹긋쭝긋
La rivière Lijiang serpente dans les monts.
Il Fiume Li tortuoso e le cime Gui
Muchos curvos cursos del Rio Lichiang y miles puntas de picos de las colinas en Guilin

鸟瞰漓江
A bird's eye view of the Lijiang River
漓江の鳥瞰
Der Lijiang – Fluss aus der Vogelschau

이강 조감
la rivière Lijiang à vol d'oiseau
vedendo Il Fiume Li dal Su
Vista de pájaro sobre el Rio Lichiang

漓江渔夫
Ready for the night is the fisherman by the riverside
漓江の漁夫
Fischer auf dem Lijang-Fluss
이강의 어부
pêcheur sur la rivière Lijiang
il pescatore del Fiume Li
El pescador del Rio Lichiang

夏日漓江
The Lijiang River in summer
夏の漓江
Der Lijiang – Fluss im Sommer
여름철의 이강
La rivière Lijiang en été
la belleza d'estate del Fiume Li
El verano en Rio Lichiang

九马画山　　　　구마화산
The Nine-Horse Mural Hill　　neuf cheveaux sur le mont
九匹つ馬が山をえがく　　Il Monte Nove Cavalli
Der Pferdegemaelde － Berg　Colina de la pintura de nueve caballos

奇山秀水
Beautiful waters borders on wonderful hills.
奇山と清き水
Die phantastischen Berge und das klare Wasser
기이한 산 수려한 물
monts étranges et rivières ravissantes
le cime peculiari e la belleza d'acqua
Colinas fantasticas y rio verde

26

黄布晨韵
Daybreak over the Yellow Cloth Shoal
黄布の夜明け風雅
Morgendaemmerung bei Huangbu
황포의 아침기운
les premières lueurs de l'aube à Huangbu
il primo mattino di Huang Pu
Aurora en Huangpu

漓江夜曲
The nocturne of the Lijiang River
漓江の夜曲
Der Lijiang － Fluss in der Nacht
이강의 밤노래
le nocturne de la rivière Lijiang
la notte cazaina del Fiume Li
La música nocturna en el Rio Lichiang

漓江月全食奇观
The marvelous spectacle of the total lunar eclipse over the Lijiang River
漓江の全月蝕の奇観
Das Wunder der totalen Mondfinsternis auf dem Lijiang － Fluss

이강 전월식 기관
une merveille d'éclipse de lune et la rivière Lijiang
l'eclissi lunare sul Fiume Li
El fenómeno de eclipse total en el Rio Lichiang

30

群峰倒影山浮水
Peaks cast their reflections on the waters.
峰峰の倒影は水に浮ぶ
Die Widerspiegelung der gruenen Berge im Wasser
여러 봉우리 물에 비치니 산은 물우에 떠있는 듯
les reflets des montagnes dans la fleuve
l'ombra delle cime sul fiume
Los reflejos de los picos como las colinas flotando en agua

山间夕照金光远
The setting sun on the hilltop spreads its golden light far and wide.
山里の夕燒，金光とおし
Golde Abendsonne ueber den Berge

저 멀리 퍼져가는 산간의 저녁노을
Les collines verdoyantes baignées dans le soleil couchant s'offrent à nos regards.
la luce del crepuscolo nella montagna
Los rayos del sol poniente en las colinas

江上漁火暮色深
Fishing lights on the river in deep dusk
江上の漁火は暮色深い
Fischen im Fluss in der Abenddaemmerung

고기잡이 배의 희미한 등불 깊은 밤 알리네
fanal d'un bateau de pêche dans le pénombre du crépuscule
la luce di pescatore nel tramonte
El fuego del pescador en el crepusculo en el rio

33

千峰云海间
Thousands of peaks amid a sea of clouds
千峰は雲海のあいた
Die mit Wolken verschleierten Gipfel

천봉우리 구름바다에 잠겨있네
la mer de nuages dans les montagnes qui ondulent
le nuvole intorno le cime
Miles picos en mar de nubes

雨中泛舟　　　　　　　　비속을 노니는 배
Rafting in the fine drizzle　faire une partie de canot dans la pluie
雨降る中の小舟　　　　　la barca nella pioggia
Bootsfahrt im Regen　　　Un barco navegando en la lluvia

山如碧玉簪
Peaks appear as if they were jade hairpins.
山，碧玉のかんざしの如し
Die Berge wie Haarnadeln aus Gade
산은 푸른 옥비녀이런듯
la montagne comme jaspe vert
il monte come forcina di giada
Colian como la horquilla de jade verde

雨后斜阳
The setting sun reappears with its golden light after the rain.
雨後の夕日
Untergehende Sonne nach dem Regen

비 개인뒤의 저녁노을
soleil couchant après la pluie
il crepuscolo dopo la pioggia
El sol poniente después de la lluvia

清波水面一帆轻　　　　잔잔한 파도우에 돛배 한척 여유롭네
A sail drifts lightly on the water.　un bateau à voiles sur la fleuve limpide
清き河水に帆船静か　　la barca a vela sul fiume
Ein Segel auf der klaren Welle　Un baco pequeño flotando en el rio

烟雨漓江
The Lijiang River in the misty rain
霧雨の灘江
Der Lijiang − Fluss im Dunst

안갯비속에 잠긴 이강
la rivière Lijiang est couverte d'un voile de brume
la pioggia del Fiume Li
El Rio LiChiang bajo nubes, niebla y lluvia

浪石风光
The scenic beauty of Langshi
浪石の風光
Landschaft bei
파도석의 풍광
le paysage d'écume des vagues
il paesaggio di Pietta Ondata
El paisaje pintoresco de Langshi

41

兴坪佳境
The beautiful scenes at Xingping
佳境の興坪
Die erfreulichste oder angenehmste Phase in Xingping

흥평절경
beau paysage de Xingping
il luogo particolare di Xing Ping
El paisaje pintoresco de Xinping

奇峰耸翠
Grotesque peaks stand upright in green dress.
奇峰は屏風の如し
Phantastischen Gipfel emporragen samaragd

아아한 푸른 기봉
sommets et pics verts
il colore verde delle cime
Fantasticos picos verdes

千峰环野立
Thousands of peaks
stand around fields.
千峰の野をめぐる
Stehende Gipfelgru-
ppe
천봉우리 대지에
둘러 있네
enchevêtrement de
cimes
le cime nella monta-
gna
Numerosos Picos de
Monte Irguiendo
Alrededor del Campo

45

春到人间
spring comes
春が人間に来た
Flueling ins welt
인간세상에 찾아온 새봄
Les printemps est dans l'air.
la Primavera sta venendo
Se vuelve la primavera en la humanidad

漓江春雨
The Lijiang River in the rainy spring
漓江の春雨
Der Lijiang – Fluss im Fruehlingsregen
이강의 봄비
la pluie printanière sur la rivière Lijiang
la pioggia di primavera del Fiume Li
Lluvia primaveral en el Rio Lichiang

47

如情似梦漓江水
The Lijiang River appears emotional and dreamy
情けの夢の如き漓江の水
Klares Wasser des Lijiang – Flusses
정이런듯 꿈이런듯 아름다운 이강의 물
Quel magnifique paysage! On se croirait dans un rêve.
la bellza del fiume Li
El agua del Rio Lichinag como amor y sueño

山村小景
A scenic spot at a mountain village
山村のながめ
Szenerie des Bergdorfs
산촌의 풍경
le paysage du village de montagne
il paesaggino di campagna
El pequeño paisaje de la aldea montañosa

漓江印象
A photographer's Impression of the Lijiang River
漓江の印象
Der grosse Eindruck vom Lijiang − Fluss
이강인상
impression de la rivière Lijiang
l'impressione del Fiume Li
La impresión del Rio Lichiang

云雾涌仙山
Clouds surge up around the hills of the fairyland
かすみのわく 仙山
Wolken und Nebel ballten sich die Paradiesberge

선산에서 솟아오르는 구름안개
la brume du mont Yongxian
le nuvole intorno le cime
Colinas seguidas por las nieblas y nubes

雨过青峰乱云飞
Clouds float disorderly over the green hills after the rain
雨後の青峰，乱雲のわく
Die vom Verwirrungswolken verhuellten Gipfel nach
dem Regen
비 지난뒤 푸른 봉우리엔 구름감도네
les nuages et fumées après la pluie à la montagne verte
le nuvole intorno le cime dopo la pioggia
Nubes revoloteadas después de la lluvia

高田日出
Sunrise at Gaotian
高田の日の出
Der Sonnenaufgang in Gaotian
높은 다락의 해돋이
lever du soleil au champ
al levare del sole in Gao Tian
Sol ascendido en Gao Tian

大榕树
A huge ancient banyan
大きい古榕
Der grosse Banyan — Baum
용나무
Un grand banian
il grand figo con i frutti piccoli
Banyan grande

水天一色
The water and the sky merge into one color.
水と空と一色の眺め
Wasser und Himmel mit einer gleichen Farbe
수천일색
L'eau et le ciel se confondent en une seule couleur.
lo stesso colore di cielo e l'acqua
Mismo color, cielo y agua

水田晨光　　　　　　　　　논밭의 아침빛
Dawn over the paddy fields　les rayons du soleil levant à la rizière
水田の朝やけ　　　　　　　il primo mattino di risaia
Die Wasserreisfelder im Morgenrot　La luz de la mañana en la tierra de arroz

56

大地之春　　　대지의 봄
Spring over the land　le printemps sur la terre
大地の春　　　La Primavera della Terra
Fruehling　　　La primavera de la tierra

高田秀色
The colorful beauty of Gaotian
高田の秀色
Die schoene Landschaft bei Gaotian
고전의 수려한 풍경
paysage ravissant de Gaotian
la belleza di Gao Tian
El paisaje pintoresco de Gao Tian

书童秋色
The Boy Scholar Hill in the colorful autumn
秋色に書童
Die Herbstlandschaft des Berges des Lernenden Kindes
사동의 수려한 풍경
paysage d'automne et enfant d'école
il letteratino nel autunno
El paisaje del otoño en Shu Tong

古榕晨雾
Morning fog over an ancient banyan
朝霧におおわれてい古榕
Der alte Banyan-Baum im Morgennebel
고용의 아침안개
La brume de l'aube s'enroule autour de vieux banian
la nebbia di mattina di figo con i frutti piccoli
El antiguo banyan en la niebla a la madrugada

牧归
Homeward bound from the pasture
牧人の帰り
Zurueckkehrender Hirt
방목하고 돌아오는 길
sur le chemin de retour du pré
il ritorno di pascolare
Regreso del pasto

小河背风光
The scene at Xiaohebei
風光の負う小川
Landschaft bei Xiaohebei
아름다운 풍광에 받침된 시냇물
paysage de la rivière à contre-jour
il paesaggio di xiao He Bei
El pintoresco paisaje de Xiao Hebei

富里古桥
The ancient bridge at Fuli
富里のふる橋
Die alte Bruecke bei Fuli
부리의 옛 다리
pont ancien à Fuli
il ponte antico di Fu Li
El antiguo puente de Fu Li

江山多娇
So rich in beauty is the land.
山川の美しさや
Die malerische Landschaft
강산이 이렇듯 아름다워

Les fleuves et montagnes sont aussi pittoresques et
splendides qu'en beau tableau.
la belleza di territorio
Montañas y rios magnificos

山雨欲来
An impending storm over the hills
山雨降来る如し
Ein Gewitter vom Berg nahert sich
산비가 몰러오니
Le vent qui envahit le pavillon annonce une tempête dans la montagne
la pioggia sta vendendo
A punto de estallar la tempestad

雾锁群山
Peaks enshrouded in fog
霧は群山を縛る
Die vom Nebel vernuellten Berge
안개속에 잠긴 뭇 봉우리
les nuées montent en sp
irales dans la montagne
la nebbia delle cime
Colinas cerradas por la niebla

春江水暖鸭先知
Ducks are the first to know the coming of spring through their sense of warmth in waters.
川水暖く，鴨は先知る春の來たりし
Die Enten wissen vorher das, das Fruehlingsflusswasser waermer geworden ist
봄물의 따뜻함은 오리가 먼저 알리니라
le canard sait premièrement le renouveau dans l'eau
l'anitra sul fiume di primavera
Los patos conocen con anticipacion el templado de agua del Rio Cunjiang

遇龙河之晨
The scene of the Yulong River at dawn
遇りゆう河の朝
Der Yulong － Fluss in der Morgentruehe
우용하의 아침
le martin du fleuve Yulong
il primo mattino di Fiume Yu Long
La mañana en el Rio Yulong

月亮山　　　월량산
The Moon Hill　le mont Lune
月光の山　　Il Monte Luna
Der Mondberg　Colina de Luna

碧水青山
Blue waters and green hills
水清く山みどり
Gruene Berge und klares Wasser

녹수청산
paysage gracieux et pittoresque
i monti e l'acqua verde
Agua clara y colina verde

69

会仙小景
A scenic spot at Huixian
會仙の風景
Die Szene in Huixian
회선의 풍경
le spectacle de huixian
il paesaggino di Hui Xian
El paisaje pequeño y delicado de
Hui Xian

田园诗韵
The idyllic scene of the countryside
田园の詩趣
Idylle
전원시운
paysage champêtre comme idylle
il gusto raffinato degli campi e giardini
Idilio

锦秀大地
A land of charm and beauty
大地に錦の如し
Die schoene Landschaft auf Erden
금수강산
beau pays couvert d'une éclatante splendeur
la terra splendida
Hermosa patria

山乡春色早
Spring comes earlier over the mountain village
山里の春早く立つ
Die Fruehlingslandschaft dommt frueh zum Bergdorf
산간의 봄빛
paysage printanier dans une contrée sillonnée de cours
de montagne
la belleza nella primavera di campagna
La primavera en la aldea

奇峰春色
Grotesque peaks in colorful spring
奇峰の春景色
phantastische Gipfel in der Fruehlingslanschaft
기봉의 봄빛
paysage printanier de la montagne bizarre
la belleza di primavera delle cime peculiari
El paisaje de la primavera de los picos fantasticos

金坑梯田
The terraced fields at Jinkeng
金坑の段々ばたけ
Terrassenreisfelder bei Jinkeng
금항의 다락밭
le champs en terrasses de Jinkeng
il terrazzo di Jin Ken
La terraza de Jinken

梯田春韵 고전의 봄
Terraced Fields in Spring la beauté printanière du champs en terrasses
段段ばたけの春 la primavera del terrazzo
Terrassenreisfeld im Fruehling La primavera en la terraza

千峰竞秀
Thousands of peaks
compete for the
beauty crown.
千山は秀峰を争う
Die vielschoene Gip-
fel liegen in Konkur-
renz miteinander
천봉우리 다투어
수려함을 뽐내노라
en chevêtrement de
cimes
le cime particolari
Miles picos competi-
endose en verde

人间仙境
A wonderland on earth
人間の仙境
Paradies auf Erden
인간선경
paradis sur terre
il luogo peculiare nel
mondo
El paisaje de ensueño en
la humanidad

79

人勤春早
diligent people working in early morning
人ガ勤免ゼぁれば春も早ぁに來る
Arbeit auf Feld

이른 봄 아침의 부지런한 사람들
debut du printemps
le persone dirigente nel primo mattino
Campesino laborioso y la primavera temprana

81

月岭古村 "孝义可风" 坊
Ancient village of Yueling
月嶺古町の "孝義可風" と言う扁額
Kindespflicht Gasse im Yue Lin Dorf
월령고촌의 '효의가풍'비
le portique commémoratif du village ancien de Yueling
l'officina "Xiao Yi Ke Feng" della citt?antica di Yue Ling
El monument con la inscripión "respe tar a los viejos y amar a los niños" en la Antigua Aldea Yueling

百寿岩石刻
Stone carving in Baishou Rock
百寿岩の石刻
Stein-inschriften auf der Bai shou Fels
백수암 석각
inscription de stèle à Baisou
la scaltura in pietta della Roccia Bai Shou
La escultura en piedra de la Caverna Baishuo

全州天湖
The Tianhu Lake at Quanzhou County
全州の天湖
Der Himmelssee bei Quanzhou
전주의 천호
lac du ciel de Quanzhou
Il Lago Cielo di Quan Zhou
El lago Tian Hu de Quanzhou

大圩古镇
Dagu Town
大古鎮
Der hoche Berg unter
dem Himmel und den
Wolken
대서 고진
bourg ancien de Daxu
la citt?antica di Da Xu
Antiguo Pueblo Daxu

小巷深处
deep in the lame
路地の奥
Kleine Gasse
작은 거리의 깊은 곳
les profondeurs de la ruelle
il profondo di viottolo
En el fondo de un callejon

古镇人家
the households in the ancient style town
古町の住民
Alte Dasse
고진의 살림집
foyers de bourg ancien
la famiglia nella citt?antica
Habitantes de la Población Antigua

恭城文庙
The Confucian Temple in Gongcheng County
恭城の文寺
Konfuzius und Guangyu-Tempel in Gongchen

공성 문묘
le temple de Gongcheng
il tempio di Citt?Gong
Templo de Confucio de Gongcheng

天门幽静
Tranquility reigns over Tianmen
静かな天門
Stille und abgeschiedene Tianmen

고요한 천문
le calme de la porte du ciel
il silenzio di Tian Men
El silencio en la Puerta de Cielo

八角寨风光
The scenic sight of the Bajiaozhai mountain
八角寨の風光
Die Landschaft der achteckigen Feste
팔각채 풍광
le paysage du village d'huit angles
il paesaggio di Campagna BA Jiao
El paisaje de la AIdea Octogonal

五排河漂流
Drifting downstream in the turbulent Wupaihe River
五排川で漂流
Schwimmen mit dem Strom auf dem Wupai-Fluss
오배하의 드리프트
aller à la dérive à la rivière Wupai
Il Fiume Wu Pai
Flotando en el Rio Wupai

深山野瀑　　　　　　　　　　　심산속의 폭포
Waterfalls in a secluded mountain　cascade dans la montagne
谷川の瀑　　　　　　　　　　　la cascata nella montagna
Der Wasserfall legt tief in den Bergen　La cascada en la montaña

龙宫水府
The palace of Dragon King under water
りゆう宫と水府
Das Drachen — Paradies
용궁수부
grotte caverne
il palazzo d'acqua
El estanque del dragon

芦笛岩
The Reed Flute Cave
口笛岩
Die Schilfrohrfloete — Hoehle
노적암
Roc au pipeau
La Roccia Lu Di
Caverna de la Flauta de Caña

银子岩
The yinzi cave
銀子岩
Yinzi-Hoehle
여포의 은자암
Roc de Yinzi à Lipu
La Roccia Yin Zhi di Li Pu
Caverna de Plata de Lipu

丰鱼岩——双塔
The twin pagoda in the Fengyu Cave
豐鱼岩——二つ塔
Die Doppelpapoden in der Fengyu-Hoehle
풍어암——쌍탑
Roche de Fengyu et deux pagodes
La Roccia Feng Yu — le pagode gemelli
Caverna Fengyu — Doble Pagoda

莲花岩
The Lotus Flower Cave
蓮花岩
Die Lotusblumenhoehle
연화암
Roche de fleur de lotus
La Roccia Fiore di Loto
Caverna de Loto

姜太公钓鱼
Grandpa Jiang fishing
姜太公は魚を釣る
der Angelnort von Jiangtaigong
강태공이 낚시질을 하다
Jiang Taigong pêchant au bord de l'eau
Jiang Tai Gong pescare
La pesca del señor Jiang Taigong

收获的季节
the harvest season
取り入れの季
Ernte-Saision
수확의 계절
saison de la moisson
la stagione di raccogliere
La estación de la cosecha

层层铺金
golden grain
層り累りの金
Golden feld
층층이 쌓여 있는 금빛
dans l'or du soleil
i strati D'oro
El oro escalonado

盘瑶庞桶浴
Pang Yao minority people bathe in the cask
盤瑶龐桶の風日
Eimer-Baden in Pam Yao
반요방나무통욕
bain de Pangtong au Panyao
il Grand Tino Bagno di Pan Yao
El gran cubo de baño de la Nacionalidad Panyao

阳朔西街
West Street in Yangshuo
陽朔の西街
West-strasse in Yang so
양삭의 서쪽거리
la rue d'ouest au Yangsuo
la Ovest viuzza di Yan Shuo
La calle occidental de Yansu

叠嶂云生
Clouds arise from among the peaks
峰峰のかきはりからわく云
Viele von Wolken verhuellte Bergspitzen hintereinander
겹겹한 산봉우리에 구름이 솟네
entasser des pierre pour faire un monticule
le nuvole e le cime particolari
Nubes escalonados en montañas y cimas superpuestas

木榕湖
Murong Lake
木榕 の 湖
der Murongsee
목용호
Le Lac-Murong
Lago Murong
Lago de Murong

水晶玻璃桥
Crystal glass bridge
水晶のガラスブリッジ
die Kristallbrücke
수정유리다리
Le Pont de Cristal
Ponte di cristallo
Puente de cristal

榕湖双桥
Double-bridge at Ronghu Lake
榕湖の双橋
die Zwillingsbrücke auf dem Rongsee
용수호의 쌍둥이 다리
Les Deux Ponts du Lac-Ronghu
Due ponti sul lago Rong
Dos puentes del Lago de Ronghu

杉湖日月双塔
Double-tower of sun and moon at Shanhu Lake
スギ湖の日月ツインタワー
die Zwillingstürme auf dem Shansee

산호일월쌍탑
Les Tours Jumelles du Soleil et de la Lune du Lac-Shanhu
Torre del sole e torre della luna del lago Shan
Las dos torres del Sol y la Luna del Lago de Shanhu

解放桥夜景
Night scene at Jie Fang Bridge
解放橋の夜景
die Befreiungsbrücke am Abend
해방호의 야경
Vue nocturne du Pont de la Lib é ration
Paesaggio di sera sul ponte Jiefang
Vista del Puente de la Liberación

丽泽桥夜景
Night scene at Li Ze Bridge
麗沢橋の夜景
die Lizebrücke am Abend
여탁교야경
Vue nocturne du Pont du Lac-Lize
Paesaggio di sera sul ponte Lize
Vista noctura del Puente de Lize

国际会展中心
International Conference and Exhibition Center
国際会展センター
das internationale Messezentrum
국제전람센터
Le Centre International de Conférences et d' Exposition
Centro internazionale di esposizione
Centro de Exposiciones Internacionales

迎宾桥
Welcoming bridge
迎賓の橋
die Gästegrussbrücke
영빈교
Le Pont d' Accueil
Ponte Yingbin
Puente de Bienvenida

桂林山水实景演出《印象·刘三姐》
Casting in the real Guilin landscape
桂林名勝の陽朔口公演「印象·劉三娘」
《Impression-Liu Sanjie》
Die Wahrheit des Landschafts Guilin 《die dritte Schwester Liu im Eindruck》
계림풍경연출 ((유산제))
Retresintacion sabri il Poisaje Rial di Guilin— 《Impricion, Liu Sanjie》
Representación sobre el Paisaje Real de Guilin— 《Impresión, Liu Sanjie》

秋日
Sun in autumn
秋の日
Herbsttag
구일

Un jour d'automne
Giornata autunnale
En el otoño

瑞雪
Timely snow
瑞兆の雪
rechtzeitiger Schnee
첫 눈
la neige bienfaisante
le neve bianche
Nieve fuerte

图书在版编目(CIP)数据

梦幻桂林／张力平编，—南宁：广西人民出版社，2000.9
（旅游丛书）
ISBN 7-219-04238-8

Ⅰ．梦… Ⅱ．张… Ⅲ．风光摄影-广西-桂林市-摄影集 Ⅳ．J424

中国版本图书馆 CIP 数据核字(2000)第 47319 号

梦幻桂林

张力平　摄影

出版　广西人民出版社
　　　（中国广西南宁桂春路6号）
发行　广西人民出版社
印制　深圳雅昌彩色印刷有限公司
开本　889毫米×1194毫米　1/16
印张　7
版次　2000年9月第1版
印次　2005年10月第2版第1次印刷
印数　5000
书号　ISBN 7-219-04238-8/J·272
（006800）
如有印装质量问题，请与工厂调换